商业连锁零售O2O
真账实训

实训指导手册

岳中心 蔡娟 范伶俐 主编

人民邮电出版社

北 京

图书在版编目（CIP）数据

商业连锁零售O2O真账实训. 实训指导手册 / 岳中心，
蔡娟，范伶俐主编. —— 北京：人民邮电出版社，
2016.8
（互联网+真账实训）
ISBN 978-7-115-43366-4

Ⅰ. ①商… Ⅱ. ①岳… ②蔡… ③范… Ⅲ. ①连锁企
业—零售企业—财务管理 Ⅳ. ①F717.6

中国版本图书馆CIP数据核字(2016)第193181号

内 容 提 要

本书是校企合作开发的商业企业财务业务一体化真账实训教材，采用真实的凭证，并根据商业企业常见的会计业务处理过程组织教材内容，真正体现了"工学结合"。

本书以商业企业一般纳税人企业为实际案例，让学习者以任务驱动的形式系统学习产、供、销一体化的基本知识和操作方法，使学习者能系统掌握产、供、销一体化管理软件的基本工作原理，并且掌握财务、供应链、电商、分销、零售等业务的全部工作过程。

本书配套了 3 个月的原始凭证单据包。单据包是以一家服装连锁零售企业为实例，完整展现一家增值税一般纳税人企业从商品的采购、各门店的调拨、销售部门的发货、财务成本的核算，以及企业日常财务费用的报销、工资发放、固定资产的折旧等业务的处理，到最后编制会计报表和纳税申报这一系列企业产、供、销经营的全过程。

本书可作为应用型本科、高职高专院校经济管理类专业的技能课程教材，也可作为财会人员的培训教材及会计从业人员的自学参考书。

◆ 主　编　岳中心　蔡　娟　范伶俐
　　责任编辑　刘　琦
　　执行编辑　韩　琰
　　责任印制　杨林杰

◆ 人民邮电出版社出版发行　　北京市丰台区成寿寺路 11 号
　　邮编　100164　　电子邮件　315@ptpress.com.cn
　　网址　http://www.ptpress.com.cn
　　北京隆昌伟业印刷有限公司印刷

◆ 开本：787×1092　1/16
　　印张：3　　　　　　　　2016 年 8 月第 1 版
　　字数：57 千字　　　　　2016 年 8 月北京第 1 次印刷

定价：69.80 元

读者服务热线：(010)81055256　印装质量热线：(010)81055316
反盗版热线：(010)81055315

2015 年 7 月，国务院印发了《关于积极推进"互联网+"行动的指导意见》，"互联网+"新经济形态初步形成，"互联网+"成为经济社会创新发展的重要驱动力量。在"互联网+"政策的引领下，我们迎来了"工业 4.0"时代，实现了"互联网+供应链""互联网+金融""互联网+交通""互联网+民生""互联网+医疗"等与我们生活息息相关的变化。与此同时，我国高等教育和职业教育也迎来了教育 4.0 时代——"互联网+教育"，建立创新型人才培养模式是在"互联网+"时代下对高等教育和职业教育提出的又一新要求，而"互联网+"模式下的动态数据、跨专业、跨领域，教学做一体化，是教学改革的又一新方向。

戴柏华在 2015 年中国财会高峰论坛上提到"会计工作的许多方面也与互联网开始深入融合，网络代理记账、在线财务管理咨询、云会计与云审计服务等第三方会计审计服务模式初现端倪；以会计信息化应用为基础的财务一体化进程不断提速……在线联机考试、远程培训教育等已成为会计人才培养重要的方式。""互联网+"时代的来临，不仅给会计行业带来了一场前所未有的变革，同时也要求会计教学领域能与时俱进，努力探索出适应时代发展变化的新型人才培养模式。人民邮电出版社这次策划出版的"互联网+真账实训"系列丛书正是对会计实训实践课程改革做了有益的尝试，这套书在三个方面做到了创新：首先，构建了基于互联网的全套课程解决方案，通过"软件平台+教学数据资源包+实训指导材料"的组合，可以让学习者在平台构建的真实行业工作环境下，完成全盘账务处理（手工账+电脑账）、在线考核、在线评价等全部学习流程；其次，提供了基于工作岗位的全真实训数据，现有的实训教材缺乏系统、全面的实训单据资料，这套书提供的实训数据包完全来自于真实的企业数据，反映了企业的全真业务流程，可以说就是岗前培训材料；再次，配套了线上线下一体的教学指导材料，这套书在设计时充分考虑了互联网在教学中的作用，提供了在线的实训操作微课视频、在线题库以及在线教学培训等教学指导材料。

会计实训课程是学习者将知识技能向职业能力转化的重要过渡，可以实现从学校课堂到职业岗位的对接，希望这套"互联网+真账实训"系列丛书能够为提高学习者职业能力，弥补会计人才与岗位要求差距，提高学习者从业竞争力作出贡献。

梁伟样

2016 年 7 月

经济越发展，会计越重要。随着社会经济的飞速发展，各行各业对合格会计人才的需求越来越多。对于在校的财会类专业学生而言，学习的财会知识如果不能与实际相结合，他们就不能真正胜任未来的会计工作。对于有志于从事财会工作的人员而言，怎样才能以专业技能去应聘会计岗位也一直是困扰着他们的一个问题。

本书为人民邮电出版社策划出版的"互联网+真账实训"系列丛书之一。书中以北平华问服装有限公司为主体，设计了对商业企业的认知、会计政策的掌握、企业制度的了解，以及当年12月与跨年1月、2月这3个月日常业务单据处理、成本归集核算、管理报表编制等一套商业企业常见的会计业务处理过程。学习者通过对整套单据的业务处理，能够加深对会计实际应用的操作印象。学习者在完成12月业务后继续完成年度结转两个月连续的配套业务单据（内容更丰富，包罗企业各方应用），可以迅速积累一定的工作经验，从而更好地就业。

华问教育从事企业会计信息化及会计职业教育10余年，积累了大量各行业会计处理的业务案例。在真账实操培训中，华问教育按会计培训规律，理论联系实际，学以致用、学用结合，以真单、真账开展形象教学和实操训练，使形式与内容达到完美结合，同时将会计实操与企业管理结合起来，为社会培养了大批复合型会计人才。"互联网+真账实训"系列丛书是会计教学的理想教材，是会计初学者的自学良师，也是在岗会计规范化做账和继续提高业务水平的必备指南。

书中涉及的业务单位及人员均为虚构，如有雷同纯属巧合；所涉及行政事业单位的票据及印章均为实现单据真实化而编制，如有不妥请及时告知，我们将在下一版中做出修正。由于编者水平有限，书中难免有不足、遗漏之处，敬请批评指正。

作者邮箱为 135141@qq.com，学习交流 QQ 群号为 195557887。

编者

2016 年 7 月

第一部分

企业基本情况

一、公司简介

北平华问服装有限公司由华问集团有限公司于 2018 年 1 月投资创建,是一家集服装批发、零售、电商等多元化业务为一体的企业。

该公司产品覆盖了我国广州、浙江、江西等多个省份。公司设立了自营品牌专卖店及多家分销机构,并引进了 O2O(Online To Offline,线上到线下)电子商务的商业模式,在淘宝、京东、有赞等平台创下不菲佳绩。公司现有员工 30 余人,年销售量 8 万余件,其产品主要包括劳保工作服、T 恤衫、商务职业套装等,其服务客户涉及星级酒店、外资企业、房地产公司等多个领域。

公司成立以来,一直以"品质保证、服务专业、顾客满意"为经营理念,坚持以优质的产品、实惠的价格和全面的售后服务回馈客户,使之短时间内在北平地区成为客户信赖的企业。

二、企业营业执照(三证合一)

企业营业执照如图 1-1 所示。

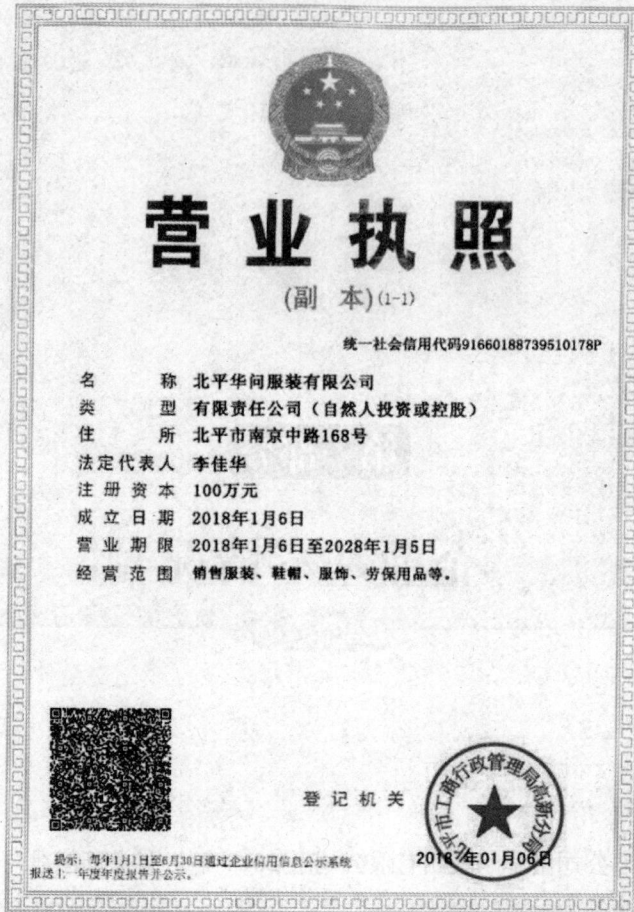

图 1-1　营业执照

三、公司组织构架

公司组织构架如图 1-2 所示。

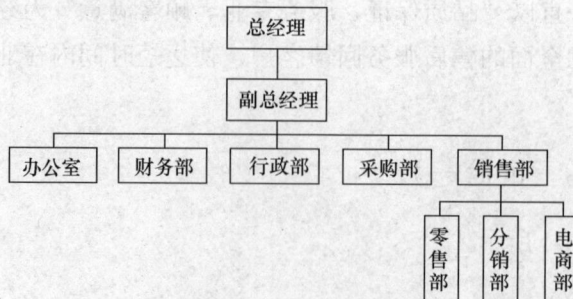

图 1-2　组织构架

第二部分

商贸企业相关管理制度

一、资金管理制度

1. 现金管理

（1）出纳应保证库存现金的日清日结，月末应编制银行存款余额调整表，以保证现金日记账、银行日记账账实相符。货款现金必须送存银行，不准坐支。

（2）出纳库存现金定额核定为 30 000 元，如有多余费用现金应该及时送存银行，保证现金安全，门店备用金定额核定为 3 000 元，每日营业收入必须及时报送公司财务。

（3）会计应定期、不定期对出纳库存现金进行监盘，每月至少监盘 3 次，编制"库存现金盘点表"；审核出纳编制的"银行余额调整表"，对未达事项进行落实。出纳应定期、不定期对门店现金进行监盘，每月至少监盘 3 次，编制"门店库存现金盘点表"，如有差异必须查明原因，并进行相应处罚。

2. 支票管理

凡不能用现金收付款的各项业务，一律应通过银行转账进行结算。

（1）公司支票的购买由出纳负责，并填写支票备查簿，支票备查簿由公司财务经理保管。

（2）空白支票由出纳负责保管，签发支票所需的财务章由财务经理保管，法人私章由出纳保管。

（3）现金支票只能由出纳从银行提取现金时使用，公司与其他单位之间金额在结算起点以上的经济业务往来，一律使用转账支票。

（4）各部门或个人因工作需要领用支票时，应填制规定的借款单，由部门经理、财务经理及副总经理审核签字，并报总经理批准后，由出纳签发。借款人应在支票领用之日起，10 日内到财务部办理报销手续，其程序与现金支出报销程序一样。支票领用人应妥善保管已签发的支票，如有丢失应立即通知财务部门并对造成的后果承担责任。

（5）出纳不得签发不确定日期的支票，不得签发任何种类的空白支票。

（6）财务人员不得在支票签发前预先加盖签发支票的印章，签发支票时必须按编号顺序使用，对签错的支票或退票必须加盖"作废"戳，并与存根一起保管。

3. 借支制度

公司人员借支应该根据需要核定额度，填写借款单，3 000 元以下由部门经理、财务经理和副总经理审批，3 000 元以上还需上报总经理审批。上一笔借支未清账，不得再次借支。公司员工出差借支时需注明出差地点及出差事由。借支费用，原则上不允许跨月冲销，特殊情况由部门经理及副总经理审批后方可冲销。

二、往来账管理制度

为了进一步规范销售，减少经营风险，保证公司的财产安全，最大限度地减少呆账、坏账，对应收账款的管理作出如下规定。

零售、电商客户采取"现款现货、款到发货"的原则，分销客户采取"月结"的原则，本月货款必须在次月月末前结清。

三、固定资产管理制度

（一）会计政策

固定资产的入账原则及折旧政策如表 2-1 所示。

表 2-1　固定资产的入账原则及折旧政策

固定资产类别	预计净残值率（%）	预计使用年限	年折旧率（%）
电子设备	5	3	31.67
运输设备	5	4	23.75

注：各项固定资产均按照历史成本计价，不论市价是否变动，一般不调整账面价值。

（二）管理部门

公司及各门店的固定资产由财务部统一管理。固定资产取得后，即由财务部门依其类别及会计科目予以分类编号并粘贴标签。

（三）移交

对于固定资产应按所列使用部门详细列清册办理移交。

（四）盘点

公司及各门店固定资产应由财务部门会同使用部门每年盘点一次。财务部门对于盘盈或盘亏应查明原因，并根据盘盈盘亏原因做出相应处理。

（五）购置审批程序及相关手续

公司及各门店若需购置，必须向公司财务部申请，经公司副总经理及总经理批准后购置。

（六）报废

公司及各门店固定资产报废需向财务部申报，提出申请报废资产的报告，填报有关《固定资产报废申请单》，提交报废资产的名称、数量、规格、单价、损失价值清册，以及鉴定资料和对非正常损失责任的处理意见，经审批后方可处理。填写《固定资产报废申请单》时，必须登记资产标签"编号"，以便账目调整。

四、发票管理制度

为加强公司购、销货发票的管理，制订发票管理制度。

（一）对外销售开具发票的规定

（1）根据税法等有关规定，由公司财务专人办理发票的领购、开具和保管业务。

（2）如客户需开具增值税专用发票，根据增值税发票相关管理要求，需要对方提供企业基本信息，信息主要包括企业名称、纳税人识别号、地址电话、开户行及账号，以及一般纳税人资格证明。

（3）增值税专用发票的开具对象仅限于具有一般纳税人资格的公司，对一般纳税人以外的任何单位和个人不得开具增值税专用发票。

（4）对于增值税发票上的记载事项有变动的，客户要及时提供变更证明，以利业务结算；变更证明要及时作附件入账或归档管理。

（二）接受发票的管理规定

（1）接受发票要严格按照国家关于《违反发票管理的处罚》的条款进行审核。

（2）接受的发票要依实际交易的金额为准，票面要整洁，项目填写齐全，字迹清楚，盖章清晰，手续齐备，计算准确，并与所附的其他资料相符。

（3）根据业务性质和实际情况尽量取得增值税专用发票。

五、存货管理制度

（一）直营店店及分销商要货申请

（1）直营店的库存管理应坚持"库存合理、加快周转"的原则，尽可能降低库存风险。

（2）直营店在要货时须根据销售计划，结合实际需求，合理安排要货次数及数量，在合理库存内保证销售的需要。

（3）分销客户要货可先在系统中填写《采购订单》，《采购订单》审核后协同生成公司《销售出库单》，经销售部和财务部审核无误后，再办理发货程序。

（二）存货入库流程

根据批准的采购申请表验收入库并填制《采购入库单》，《采购入库单》至少有下列内容：存货编码、存货名称、尺码、颜色、数量、单价、金额、供应商名称、仓库名称。

入库单至少一式三份：第一联为存根，第二联为库房留存，第三联为财务核算。入库时要求严把质量关，做好各项记录，以备查用。财务部门根据《采购入库单》和其他相关单据入账。

（三）存货出库流程

存货出库的方式主要有两种：内部调拨、销售出库。销售出库单（或销货单）至少有下列内容：客户名称、仓库名称、收款方式、部门、商品编码、品名货号、规格、单价、数量、金额、折扣、实收金额。

销售出库单（或销货单）一式四份：第一联，存根；第二联，仓库留存；第三联，财务核算；第四联，客户留存。仓管人员做好出库质量管理，严防破损，做好数量记录，核实品种、数量和提单。

（四）存货盘点

公司财务人员每月底要协同仓管员对库存商品进行一次盘点，对于盘盈、盘亏、毁损等要查明原因，上报财务经理及副总经理进行相应处理，金额较大的还需上报总经理处理。

（五）其他

（1）库存商品要摆放整齐，保持库房干净、整洁，杜绝"三乱"：乱堆、乱放、乱压。同时做好库房商品三区管理，即：正常销售商品区、退货区、残损区。

（2）发货一定要坚持先进先出原则。

（3）库存商品不足及库存积压商品应及时上报公司领导，避免缺货或积压给公司带来损失，保持正常的库存。

六、公司财务管理制度——岗位职责

（一）财务经理

（1）认真贯彻执行《中华人民共和国会计法》和有关的法律、法规、制度。监督考核公司及门店的财务收支、资金使用和财产管理等计划的执行情况及其效果，保护公司财产，维护财经纪律，对本公司的财务状况负责。

（2）领导财务部的全体人员认真落实岗位责任制，健全和严格实施经济责任制，建立良好的财务工作秩序，并对其工作负责。

（3）有权根据本部的实际情况和工作需要，增减员工和调动他们的工作。

（4）负责财务部的全面工作。加强财务部队伍的建设，制订各级人员培训计划，提高财务部全体员工的业务素质，拟定财务部各部门机构设置和人员配备方案，并实施各级人员的任免和奖惩方案。

（5）控制预算案，指导制订经营政策。

（6）管理现金流量、货款及货币兑换。

（7）协调与各部门的关系，并负责与财政、银行、税务等机构联系。

（8）参加部门经理例会、业务协调会议，建立良好的工作关系。

（二）主办会计

（1）审核检查全部记账凭证和原始凭证是否合理、合法、正确、有效，审核其手续是否完整，列支科目是否正确。

（2）核对总账与各明细的计算机账，确保无误后进入总账，对所需调整的账项要附有凭证及说明，并经财务经理批准后方可调整。

（3）督促检查各种财务报告的及时性、正确性，做好月、年度财务决算，按时向领导呈报会计报表。

（4）督促检查各项税金的计算申报，加强与财税部门的业务联系，协调外部关系，取得有关信息。

（5）督促检查应付账款金额是否正确，挂账是否准确，账务处理是否及时。

（6）审核检查所有对外编报的数据及财务报表，确保无误方可报出。

（7）督促检查会计档案的妥善保管与存档，做到存档有记录，调档有手续，并做好经济资料的保密工作。

（8）按时完成上级交办的其他工作，随时解答财务经理提出的问题，正确、及时地提供一切数据资料。

（三）会计

（1）贯彻执行国家颁布的有关财务制度、严格按照《会计法》进行记账、算账、报账，做到手续完备、内容真实、数据准确、账目清晰。

（2）负责编制月、季、年度会计报表及有关说明，每月10日前向公司领导及时、真实、准确地报送会计报表，完整地反映财务状况，并按季度进行财务分析。

（3）负责会计核算，特别对应收、应付等往来账要及时清算和催收；做到账账相符、账实相符，发现不符，必须查明情况，及时汇报。

（4）负责公司商品成本、物品成本控制的具体管理工作，审核收货、发货、仓存情况，以保证成本核算准确性

（5）妥善保管会计凭证、会计账本、会计报表及档案资料。

（6）保守公司财务机密。

（7）完成财务经理交办的其他工作任务。

（四）出纳

（1）严格遵守有关财务规定和工作程序，妥善保管保险柜钥匙，密码不得泄露及外传，确保公司的财产安全。

（2）计算、汇集及验收各门店收银员现金收款总金额。严格执行库存现金的限额，超过部分必须及时送存银行，不坐支货款，不能白条抵押现金。

（3）建立、健全现金、银行存款的各种账目，出纳员每办理一笔收付款业务前，必须坚持复核每一笔凭证所反映的经济内容和金额，对不完整、不合法的凭证应拒绝付款，并及时向财务经理反映。

（4）将月末银行存款余额与银行对账单进行核对，及时编制"银行存款余额调节表"，使账面余额与银行对账单上的余额相符。对未达账款要及时查询，并督促有关人员及时处理。

（5）使用计算机登记的现金日记账和银行存款日记账，按记账规定结出每日发生额和当天余额，要日清月结。

（6）出纳人员不能兼任会计稽核、会计档案保管、收入费用、债权债务的账簿登记工作。

（7）按时完成分公司财务经理交付的其他临时性工作。

七、会计档案管理制度

（一）制订档案管理制度的目的

为加强会计档案管理，特制定本管理办法。

（二）会计档案的内容

本公司的会计档案包括：会计凭证、会计账簿、税务申报资料、会计报告、审计报告、验资报告、资产评估报告、财务管理制度以及与经营管理有关的其他重要文件，如合同、章程等各种会计资料。

（三）会计档案的保存

财务部应有专人负责保存会计档案，定期将财务部归档的会计资料，整理装订后按顺序立卷登记。

会计档案的保管期限为永久保存和定期保存两类，具体保管年限详见本制度第 6 条。

会计档案保管期满需要销毁时，由会计档案管理人员提出销毁意见，经财务部批准，并报上级有关部门批准后执行。由会计档案管理人员编制会计档案销毁清册，销毁时应由财务部有关人员共同参加，并在销毁单上签名或盖章。

（四）会计档案的借用

财务人员因工作需要查阅会计档案时，必须按规定顺序及时归还原处，若要查阅入库档案，必须办理有关借用手续。

公司内各单位若因公需要查阅会计档案时，必须经本单位领导批准，经财务经理同意，方能由档案管理人员接待查阅。

外单位人员因公需要查阅会计档案时，应持有单位介绍信，经财务经理同意后，方能由档案管理人员接待查阅，并由档案管理人员详细登记，查阅会计档案人的工作单位、查阅日期、会计档案名称及查阅理由。

会计档案一般不得带出室外，如有特殊情况，需带出室外复印时，必须经财务部经理批准，并限期归还。

（五）会计人员的变动或会计机构的改变

会计档案需要转交时，须办理交接手续，并由监交人、移交人、接收人签字或盖章。

（六）会计档案保管期限

会计档案的保管期限，从会计年度终了后的第一天算起。

1. 会计凭证类

（1）原始凭证、记账凭证汇总凭证 30 年。

（2）银行存款余额调节表和银行对账单 10 年。

2. 会计账簿类

（1）日记账 30 年（其中：现金和银行存款日记账 25 年）。

（2）明细账、总账、辅助账 30 年。

（3）固定资产报废清理后固定资产卡片及清单保管 5 年。

3. 会计报表类

（1）主要财务指标报表（包括文字分析）10 年。

（2）月、季度会计报表（包括文字分析）10 年。

（3）年度会计报表（包括文字分析）永久。

4. 其他类

（1）会计档案保管清册及销毁清册永久。

（2）财务成本计划 3 年。

（3）主要财务会计文件、合同、协议永久。

八、印章管理

（1）公司印章包括公章、财务专用章、法人代表章、合同章等。公章由行政部指定专人负责保管，财务专用章、法人代表章、合同章由财务部专人负责保管。

（2）保管人员必须坚守职责，未经领导批准，不得将印章带出办公室，不得私用，不得委托他人代管。

（3）保持印章使用的严肃性，各类印章只限使用在正式文件上，严禁在空白纸上盖章。

九、门店店长工作制度

　　店长是门店的代表者、责任者，是公司政策、规章制度、经营目标的具体执行者，是门店经营活动的规划者和指挥者，是员工工作的鼓励者和协调者，是门店日常营运工作的分析者和控制者。

　　店长主要任务是：遵照公司营运政策、计划及目标，在所辖地区内，推销本公司商品，并对顾客提供最佳服务，以达到公司核定的销售目标。

（一）权责

（1）了解和掌握公司营运方针与目标，制订本店的销售目标和工作计划，将本店的各项目标准确地传达给部下，并随时予以追踪控制，以确保各项指标达到或超越目标。组织好商品结构、库存结构、毛利等商品管理事项，通过严格科学的管理，追求门店销售利益最大化。

（2）全权办理本店的销售及服务事项，提供品质高，价格合理的商品及良好的服务和购物环境，以提高公司在该地区的市场占有率，并建立良好的服务声誉和形象。

（3）观察所管辖地区市场需求的变化、商圈的动向。将竞争店的情报、顾客的情报、商品的情报进行搜集、整理和传达，及时将最新情报以书面形式报告总经理。

（4）根据具体情况以及节假日、季节的变化，制订商品促销措施、策划营销手段，开展公关活动，以提高商品销量和公司在所辖区域的知名度。

（5）加强对门店服务工作的管理，规范员工的服务行为和服务语言，提高员工的服务意识和服务技能，树立公司良好的企业形象。

（6）根据本店营业状况和工作计划，预估所需备用金和其他款项的收支；预估所需零钞数额，及时领取兑换、报账，严格控制各项费用，不断降低营运成本。

（7）密切关注收银员的工作情况和精神状态，严格禁止收款不入账、少入账等现象。如有此类情况发生，应立即制止并上报公司领导。严禁未经公司财务及副总经理、总经理同意将营业款挪作他用，以确保账款安全。

（8）依据公司有关规定，负责对所属员工的考核和奖金分配。全权负责店内人员、商品、设备、现金、账务凭证、安全、卫生等日常管理作业，保证门店正常运行。

（9）与行政部配合，有计划的培养和发现人才。在公司与员工之间进行积极、有效的沟通，使全店员工明确理解公司的意图和各项规章制度、政策。将员工对公司的意见、要求、建议直接报告总经理。

（10）以店长的工作经验和不卑不亢、诚恳的态度，认真妥善处理每一例顾客的投诉和抱怨。

（11）抓好门店防盗工作，通过有效的方法和途径做好内盗的各项工作，按照公司的有关规定妥善处理外盗行为。

（12）以高度的责任感，迅速处理突发事件，如火灾、停电、盗窃、抢劫、打架、争吵等。

（13）配合财务做好废纸款、罚款等营业外收入款的管理，严禁私设小金库、擅自截流外来收入等。

（14）运用有效的领导方法，激励员工士气，公平、公正、客观地对待每一位员工，在店内建立健康、民主的工作氛围。抓好门店领导班子成员的管理工作，并督导其依照工作标准和要求做好各项工作。

（二）行为准则

（1）带头遵守公司规章制度。

（2）学习和掌握领导工作要领。

（3）必须具备管理的 4 项基本能力：人事组织能力、沟通能力、规划能力、分析判断能力。

（4）既有实干精神，又有指挥他人达到既定目标的能力。

（5）品德诚实，关怀职工，当好公仆。

（三）组织关系

（1）受零售部经理的指挥监督并向业务副总经理、总经理负责。

（2）负责指导、监督和协调。

（3）接受总经理、业务副总经理、零售部经理的指导和建议；接受财务部的工作监督。

（4）以诚挚、友善的态度与其他部门联系、协调、合作。

十、收银员工作制度

（1）每日晨会后立即进行营业前的各项准备工作：清点备用金、准备购物袋、打扫卫生等。

（2）收银工作按照"结算工作服务细则"中的内容执行，要求动作规范，服务周到。

（3）排队付款顾客在 3 人内，应首先致以"谢谢光临"等礼貌用语，热情服务，"请"字开头，"谢"字结尾，用普通话收银，声音洪亮、清晰，违者每次罚款 50 元。

（4）不管顾客对错，严禁与顾客发生争吵，违者每次罚款 10 元。

（5）在顾客较少的时候，要求帮助顾客装袋，装袋时按照装袋原则进行。

（6）严禁用笔私自统计交易金额，违者停职反省 3 天。

（7）吃饭、交接班及晚班下班时保证有收银机正常工作，如顾客排队较长，不允许丢下顾客去吃饭，违者罚款 10 元。

（8）工作时保持微笑，收银台附近不得放置员工茶杯等私人物品。

（9）不允许为亲朋好友结账，违者罚款 10 元。

（10）对顾客购买的可以打开的商品，要打开例行检查，以防止不良顾客的夹带行为。因收银员工作不负责任而造成的损失，一经核实，将处理该商品价值 5～10 倍罚款。

（11）收银员要熟记商品的位置和正在进行的热卖活动内容，熟记商品的小类代码，熟记特价商品的名称和价格，熟记新产品的位置和价格，熟记店内经营商品的品牌和价位，便于回答顾客的提问。

（12）合理使用零钞，一般情况下应主动向顾客索要零钞。

（13）要求收银员下午提前 15 分钟到岗接班，做好下午班的准备工作。

（14）要求（女性）收银员在上班时间着淡妆。

（15）收银员结算工作服务要求细则如表 2-2 所示。

表 2-2　收银员结算工作服务要求细则

步　骤	标准用语	配合的动作
欢迎顾客	"欢迎光临"	面带微笑，与顾客的目光接触
	"您好"	引导顾客将所需商品放置在收银台
		将收银机荧屏面向顾客
报出商品数量、单价		将打入收银机的商品逐一报出数量、单价
结算商品总金额并告之顾客	"总共多少钱"	若无人协助装袋，可趁顾客拿钱时先装袋，顾客拿出现金时则停止手中工作
收取顾客支付的钱、券	"收您多少钱"提醒顾客清点	确认顾客支付的金额验钞
		将钱、券整理放好
		若顾客未付账，应礼貌地重复一次，不可表现出不耐烦的态度
找钱给顾客	"找您多少钱"提醒顾客清点	找出正确零钱
		将大钞放下面，零钞放在上面，现金和购物清单同时双手交到顾客手上，请顾客清点好

续表

步　　骤	标准用语	配合的动作
商品入袋	"请您拿好"	一手提袋，另一手托住袋的底部交到顾客手中
送客	"谢谢（走好），欢迎下次光临"	确认顾客没有遗忘东西
		面带微笑送客

注：在整个过程中，收银员声音应响亮，态度亲切、随和。

十一、门店盘点工作指南

门店盘点是一项费时、费力、工作量相当大的工作，没有充足的准备、严密的操作流程以及员工高度的责任心是无法顺利完成的。盘点结果将反映门店辛勤经营的真实成果，每一位员工要用点现金的责任心来进行商品的盘点工作，错误的盘点结果将给公司和门店带来无法估量的损失。通过盘点作业可以计算出门店真实的库存、费用率、毛利率、盘损率等经营指标。因此，盘点的结果可以说是一份店铺经营绩效的成绩单。

（一）盘点目的

盘点目的主要有两个：（1）控制库存，以指导日常经营业务；（2）掌握损益，以便真实地把握经营绩效，并尽早采取防漏措施。

（二）盘点作业流程

（1）做好盘点基础工作；（2）做好盘点前准备工作；（3）盘点中作业；（4）盘点后处理。

（三）盘点组织

盘点工作一般都由各门店自行负责，财务部则予以指导和监督。

（四）奖惩规定

商业盘点的结果一般都是盘损，即实际值小于账面值，但只要盘损在合理范围内应视为正常。盘点盘损的多少，要表现出店内从业人员的管理水平及责任感，公司对门店每月的损耗要求控制在 1.5% 以内。

盘损率的计算公式为：（盘损金额）/（期初库存+本期进货）

当实际盘损率超过标准盘损率时，门店有关人员都要负责赔偿。

（五）盘点准备

1. 人员准备

由于盘点作业须运用大批人力，通常全店人员都参加盘点，当日应停止任何休假。

2. 环境整理

一般应在盘点前一日做好环境整理工作，包括：检查各个商品陈列及仓库存货的位置和编号是否相符；整理货架上的商品，清除不良商品，并装箱标示和作账面记录；清除门店及作业场死角；将各项设备、备品及工具存放整齐。

3. 准备好盘点工具

需准备盘点表及红、蓝色圆珠笔、复写纸、计算器、大头针、回形针等。

4. 盘点前指导

盘点前必须对盘点人员进行必要的指导和培训，特别是新入职员工，培训内容包括盘点要求、盘点常犯错误及异常情况的处理办法等。

5. 盘点工作分派

由于品项繁多、差异性大，不熟识商品的人员进行盘点时难免会出现差错。所以在初盘时，最好还是由管理该类商品的销售员来实施盘点，然后再由其他人员及门店店长来进行交叉的复盘及抽盘工作。

6. 盘点中作业

盘点中作业可分为初点作业、复点作业和抽点作业。

（1）初点作业应注意：两人一组进行盘点，一人点，一人记；盘点单上的数据应填写清楚，以免混淆；不同特性商品的盘点应注意计量单位的不同；盘点时应顺便观察商品有无残缺破损，如发现有残缺破损应随即放下，并做好记录。

（2）复点作业注意：复点可在初点进行一段时间后进行，复点人员应手持初点的盘点表，依序检查，把差异填入差异栏（备注栏）；复点人员可用红色圆珠笔填表。

（3）抽点作业应注意：抽点办法可参照复点办法；抽点的商品选择门店内死角、不易清点的商品或单价、金额大的商品；对初点与复点差异较大的商品要加以实地确认。

7. 盘点后处理

盘点后处理工作如下。

（1）资料整理。将盘点表全部收回，检查是否有签名，并加以汇总。

（2）计算盘点结果。

（3）根据盘点结果实施奖惩措施。

（4）根据盘点结果找出的问题点，并提出改善对策。

第三部分

企业基础信息及数据

一、部门档案

部门档案如表 3-1 所示。

表 3-1　部门档案

部门编码	部门名称	所属营销机构
01	办公室	北平华问服装有限公司
02	财务部	北平华问服装有限公司
03	行政部	北平华问服装有限公司
04	采购部	北平华问服装有限公司
05	销售部	北平华问服装有限公司
05001	零售部	北平华问服装有限公司
05002	分销部	北平华问服装有限公司
05003	电商部	北平华问服装有限公司

二、人员档案信息

人员档案信息如表 3-2 所示。

表 3-2　人员档案信息

人员编码	姓名	部门	职位	所属营销机构
01	李佳华	办公室	总经理	北平华问服装有限公司

人员编码	姓名	部门	职位	所属营销机构
02	刘超	办公室	副总经理	北平华问服装有限公司
03	陈明	财务室	财务经理	北平华问服装有限公司
04	彭佳	财务室	总账会计	北平华问服装有限公司
05	赵巧	财务室	会计	北平华问服装有限公司
06	李丽	财务室	出纳	北平华问服装有限公司
07	陈越	财务室	仓管员	北平华问服装有限公司
08	孙红	行政部	行政	北平华问服装有限公司
09	胡平	采购部	采购员	北平华问服装有限公司
10	程义	零售部	零售经理	北平华问服装有限公司
11	陈晨	零售部	店长	北平华问服装有限公司
12	赵琳	零售部	收银员	北平华问服装有限公司
13	王娟	零售部	销售员	北平华问服装有限公司
14	胡丹丹	零售部	销售员	北平华问服装有限公司
15	王红梅	零售部	销售员	北平华问服装有限公司
16	曹丽娜	零售部	店长	北平华问服装有限公司
17	罗莹	零售部	收银员	北平华问服装有限公司
18	徐丹	零售部	销售员	北平华问服装有限公司
19	周倩	零售部	销售员	北平华问服装有限公司
20	林立	零售部	销售员	北平华问服装有限公司
21	孙国平	分销部	分销经理	北平华问服装有限公司
22	李超	分销部	销售员	北平华问服装有限公司
23	王斌	分销部	销售员	北平华问服装有限公司
24	徐海	电商部	电商经理	北平华问服装有限公司
25	王聪	电商部	销售员	北平华问服装有限公司
26	张蕾	电商部	销售员	北平华问服装有限公司

三、客户信息及应收余额表

客户信息及应收余额表如表 3-3 所示。

表 3-3　客户信息及应收余额

客户编码	客户名称	统一社会信用代码	住所	电话	开户银行	银行账号	应收余额（元）
112201	深圳华威科技有限公司	918801666018900F6D	深圳市福田区梅林村 1690 号	0755-21836502	华夏银行福田分行	622208150600221	35 190.00
112202	北平运恒电子有限公司	9112310830220051DK	北平市顺外路 188 号	011-83838001	北京银行顺外支行	913000123802556	28 800.00
112203	广州昌达花纸有限公司	91068404MA5831YU8K	广州市番禺区富华东路 105 号	0755-21808806	招商银行番禺分行	235601169207030	32 600.00

续表

客户编码	客户名称	统一社会信用代码	住所	电话	开户银行	银行账号	应收余额（元）
00001	上海华奇外贸有限公司	91188060114355T37H	宝山区宝杨路99号	021-85605533	建设银行宝山支行	310583612222000	38 100.00
00002	广州创鑫服装有限公司	911101883555401738	天河商城6层602号	0755-28601801	招商银行天河分行	235601198043752	51 300.00
00003	上海云飞贸易有限公司	91115934564886201P	北京西路101号	021-86075388	工商银行北京西路支行	310626581004506	60 560.00
00004	江西莎莎服饰有限公司	91073556196060FE5K	江西省南昌市洪城大市场101号	0791-85556405	工商银行洪城支行	622307658012509	55 800.00
00005	浙江美琳服装有限公司	911776690MA6R01F5G	杭州市四季青商城103号	0579-85676058	工商银行华南支行	600153086189330	42 400.00

四、供应案信息及应付余额表

供应案信息及应付余额表如表3-4所示。

表3-4　供应案信息及应付余额

供应商编码	供应商名称	统一社会信用代码	住所	电话	开户银行	银行账号	应收余额（元）
220201	浙江琪琪服装厂	9110128164951017YP	义乌市西街道西方村19号	0579-85683188	招行银行义乌分行	237481919669174	43 156.00
220202	深圳美姿服装有限公司	9150110061181181RYT	深圳市罗湖区白马市场B区301号	0755-21966666	工商银行罗湖分行	622202189110886	60 794.00
220203	广东天语服装有限公司	9110843449511065PV	中山八路88号大马站商业中心2层	0755-28888888	华夏银行中山分行	106302189153572	48 361.00

五、科目余额表（2018年11月）

科目余额表如表3-5所示。

表3-5　科目余额

科目编码	科目名称	方向	期初余额（元）	科目编码	科目名称	方向	期初余额（元）
1001	库存现金	借	30 000.00	1405	库存商品	借	229 682.06
1002	银行存款	借	911 907.45	140501	劳保工作服	借	67 867.64
100201	华夏银行南京路分理处	借	911 907.45	140502	户外运动衫	借	1 610.82
1122	应收账款	借	344 750.00	140503	文化衫	借	1 539.00
1221	其他应收款	借	1 000.00	140504	加厚军大衣	借	5 512.50
122101	应收个人	借	1 000.00	140505	西服男套装	借	46 837.56

续表

科目编码	科目名称	方向	期初余额（元）	科目编码	科目名称	方向	期初余额（元）
140506	西服女套装	借	62 171.64	222101	应交增值税	借	
140507	女衬衫	借	44 142.90	22210101	进项税额	借	422 117.24
1601	固定资产	借	161 100.00	22210103	销项税额	贷	431 382.20
160103	运输设备	借	49 000.00	22210104	转出未交增值税	借	9 264.96
160104	电子设备	借	112 100.00	222102	未交增值税	贷	9 264.96
1602	累计折旧	贷	38 261.28	222103	应缴城市维护建设税	贷	648.55
160203	运输设备	贷	9 697.90	222104	教育附加	贷	277.95
160204	电子设备	贷	28 563.38	222105	地方教育附加	贷	185.30
2202	应付账款	贷	152 311.00	222106	应交个人所得税	贷	365.82
2211	应付职工薪酬	贷	91 206.15	222107	应交企业所得税	贷	7 478.26
221101	工资奖金	贷	70 971.91	2241	其他应付款	贷	9 643.40
221103	社会保险费	贷	16 854.24	224101	应付代扣个人三险一金	贷	9 643.40
22110301	基本养老保险	贷	11 388.00	22410101	个人应交养老保险	贷	4 555.20
22110302	基本医疗保险	贷	3 416.40	22410102	个人应交医疗保险	贷	1 138.80
22110303	失业保险	贷	1 138.80	22410103	个人应交失业保险	贷	569.40
22110304	工伤保险	贷	455.52	22410104	个人应交住房公积金	贷	3 380.00
22110305	生育保险	贷	455.52	4001	实收资本	贷	1 000 000.00
221104	住房公积金	贷	3 380.00	400101	华问集团有限公司	贷	1 000 000.00
2221	应交税费	贷	18 220.84	4103	本年利润	贷	368 796.84

六、固定资产情况明细表

固定资产情况明细表如表3-6所示。

表3-6 固定资产情况明细表　　　金额单位：元

类别	固定资产名称	规格	原值	购置日期	数量	折旧年限	残值率	月折旧率	月折旧额	累计折旧	使用部门
电子设备	计算机	联想	70 000.00	2018.1.15	20	3	5%	2.64%	1 847.22	18 472.20	办公室
电子设备	打印机	惠普	8 400.00	2018.1.16	3	3	5%	2.64%	221.67	2 216.70	办公室
电子设备	空调	格力	28 800.00	2018.2.08	9	3	5%	2.64%	760.00	6 840.00	办公室
电子设备	复印机	佳能	4 900.00	2018.3.13	1	3	5%	2.64%	129.31	1 034.48	办公室
运输设备	面包车	五菱之光	49 000.00	2018.1.28	1	4	5%	1.98%	969.79	9 697.90	零售部
合计			161 100.00						3 927.99	38 261.28	

七、库存商品11月结存表

库存商品11月结存表如表3-7所示。

表3-7 库存商品11月结存表

仓库	编码	存货名称	规格型号	单位	数量	金额（元）
总仓	101001	劳保工作服套装	艳兰-160	件	56	1 674.96
总仓	101002	劳保工作服套装	艳兰-165	件	50	1 495.50
总仓	101003	劳保工作服套装	艳兰-170	件	42	1 364.16
总仓	101004	劳保工作服套装	艳兰-175	件	69	2 241.12
总仓	101005	劳保工作服套装	艳兰-180	件	70	2 273.60
总仓	102001	劳保工作服套装	灰色-160	件	58	1 734.78
总仓	102002	劳保工作服套装	灰色-165	件	51	1 525.41
总仓	102003	劳保工作服套装	灰色-170	件	50	1 624.00
总仓	102004	劳保工作服套装	灰色-175	件	61	1 981.28
总仓	102005	劳保工作服套装	灰色-180	件	60	1 948.80
总仓	103001	户外运动衫	迷彩-均码	件	65	333.45
总仓	104001	文化衫	均码	件	66	338.58
总仓	105001	加厚军大衣	均码	件	43	1 580.25
总仓	106001	西服男套装	黑色-S	件	31	2 649.57
总仓	106002	西服男套装	黑色-M	件	38	3 247.86
总仓	106003	西服男套装	黑色-L	件	30	2 564.10
总仓	106004	西服男套装	黑色-XL	件	17	1 452.99
总仓	106005	西服男套装	黑色-XXL	件	23	1 965.81
总仓	107001	西服女套装-西装领	白+黑-S	件	34	1 889.04
总仓	107002	西服女套装-西装领	白+黑-M	件	31	1 722.36
总仓	107003	西服女套装-西装领	白+黑-L	件	30	1 666.80
总仓	108001	西服女套装-V领	白+黑-S	件	32	1 833.48
总仓	108002	西服女套装-V领	白+黑-M	件	33	1 777.92
总仓	108003	西服女套装-V领	白+黑-L	件	30	1 666.80
总仓	109001	西服女套装-立领	白+黑-S	件	37	2 055.72
总仓	109002	西服女套装-立领	白+黑-M	件	40	2 222.40
总仓	109003	西服女套装-立领	白+黑-L	件	47	2 611.32
总仓	110001	女衬衫-雪纺花边领	S	件	45	1 230.75
总仓	110002	女衬衫-雪纺花边领	M	件	50	1 367.50
总仓	110003	女衬衫-雪纺花边领	L	件	58	1 586.30
总仓	111001	女衬衫-拼接领	S	件	46	1 258.10
总仓	111002	女衬衫-拼接领	M	件	51	1 394.85
总仓	111003	女衬衫-拼接领	L	件	57	1 558.95
总仓	112001	女衬衫-OL翻领	S	件	85	2 324.75
总仓	112002	女衬衫-OL翻领	M	件	60	1 641.00
总仓	112003	女衬衫-OL翻领	L	件	53	1 449.55
		合计			1 699	63 253.81

仓库	编码	存货名称	规格型号	单位	数量	金额（元）
分仓 1 店	101001	劳保工作服套装	艳兰-160	件	93	2 781.63
分仓 1 店	101002	劳保工作服套装	艳兰-165	件	86	2 572.26
分仓 1 店	101003	劳保工作服套装	艳兰-170	件	80	2 598.40
分仓 1 店	101004	劳保工作服套装	艳兰-175	件	73	2 371.04
分仓 1 店	101005	劳保工作服套装	艳兰-180	件	88	2 858.24
分仓 1 店	102001	劳保工作服套装	灰色-160	件	97	2 901.27
分仓 1 店	102002	劳保工作服套装	灰色-165	件	86	2 572.26
分仓 1 店	102003	劳保工作服套装	灰色-170	件	90	2 923.20
分仓 1 店	102004	劳保工作服套装	灰色-175	件	70	2 273.60
分仓 1 店	102005	劳保工作服套装	灰色-180	件	72	2 338.56
分仓 1 店	103001	户外运动衫	迷彩-均码	件	121	620.73
分仓 1 店	104001	文化衫	均码	件	108	554.04
分仓 1 店	105001	加厚军大衣	均码	件	60	2 205.00
分仓 1 店	106001	西服男套装	黑色-S	件	36	3 076.92
分仓 1 店	106002	西服男套装	黑色-M	件	43	3 675.21
分仓 1 店	106003	西服男套装	黑色-L	件	39	3 333.33
分仓 1 店	106004	西服男套装	黑色-XL	件	42	3 589.74
分仓 1 店	106005	西服男套装	黑色-XXL	件	38	3 247.86
分仓 1 店	107001	西服女套装-西装领	白+黑-S	件	46	2 555.76
分仓 1 店	107002	西服女套装-西装领	白+黑-M	件	39	2 166.84
分仓 1 店	107003	西服女套装-西装领	白+黑-L	件	33	1 833.48
分仓 1 店	108001	西服女套装-V 领	白+黑-S	件	42	2 333.52
分仓 1 店	108002	西服女套装-V 领	白+黑-M	件	39	2 166.84
分仓 1 店	108003	西服女套装-V 领	白+黑-L	件	41	2 277.96
分仓 1 店	109001	西服女套装-立领	白+黑-S	件	47	2 611.32
分仓 1 店	109002	西服女套装-立领	白+黑-M	件	51	2 833.56
分仓 1 店	109003	西服女套装-立领	白+黑-L	件	58	3 222.48
分仓 1 店	110001	女衬衫-雪纺花边领	S	件	55	1 504.25
分仓 1 店	110002	女衬衫-雪纺花边领	M	件	63	1 723.05
分仓 1 店	110003	女衬衫-雪纺花边领	L	件	61	1 668.35
分仓 1 店	111001	女衬衫-拼接领	S	件	55	1 504.25
分仓 1 店	111002	女衬衫-拼接领	M	件	69	1 887.15
分仓 1 店	111003	女衬衫-拼接领	L	件	49	1 340.15
分仓 1 店	112001	女衬衫-OL 翻领	S	件	51	1 394.85
分仓 1 店	112002	女衬衫-OL 翻领	M	件	53	1 449.55
分仓 1 店	112003	女衬衫-OL 翻领	L	件	55	1 504.25
		合计			2 229	82 470.90

仓库	编码	存货名称	规格型号	单位	数量	金额（元）
分仓 2 店	101001	劳保工作服套装	艳兰-160	件	91	2 721.81
分仓 2 店	101002	劳保工作服套装	艳兰-165	件	76	2 273.16
分仓 2 店	101003	劳保工作服套装	艳兰-170	件	78	2 533.44
分仓 2 店	101004	劳保工作服套装	艳兰-175	件	68	2 208.64
分仓 2 店	101005	劳保工作服套装	艳兰-180	件	72	2 338.56
分仓 2 店	102001	劳保工作服套装	灰色-160	件	89	2 661.99
分仓 2 店	102002	劳保工作服套装	灰色-165	件	83	2 482.53
分仓 2 店	102003	劳保工作服套装	灰色-170	件	66	2 143.68
分仓 2 店	102004	劳保工作服套装	灰色-175	件	69	2 241.12
分仓 2 店	102005	劳保工作服套装	灰色-180	件	68	2 208.64
分仓 2 店	103001	户外运动衫	迷彩-均码	件	128	656.64
分仓 2 店	104001	文化衫	均码	件	126	646.38
分仓 2 店	105001	加厚军大衣	均码	件	47	1 727.25
分仓 2 店	106001	西服男套装	黑色-S	件	38	3 247.86
分仓 2 店	106002	西服男套装	黑色-M	件	51	4 358.97
分仓 2 店	106003	西服男套装	黑色-L	件	41	3 504.27
分仓 2 店	106004	西服男套装	黑色-XL	件	39	3 333.33
分仓 2 店	106005	西服男套装	黑色-XXL	件	42	3 589.74
分仓 2 店	107001	西服女套装-西装领	白+黑-S	件	46	2 555.76
分仓 2 店	107002	西服女套装-西装领	白+黑-M	件	35	1 944.60
分仓 2 店	107003	西服女套装-西装领	白+黑-L	件	39	2 166.84
分仓 2 店	108001	西服女套装-V 领	白+黑-S	件	48	2 666.88
分仓 2 店	108002	西服女套装-V 领	白+黑-M	件	44	2 444.64
分仓 2 店	108003	西服女套装-V 领	白+黑-L	件	44	2 444.64
分仓 2 店	109001	西服女套装-立领	白+黑-S	件	46	2 555.76
分仓 2 店	109002	西服女套装-立领	白+黑-M	件	54	3 000.24
分仓 2 店	109003	西服女套装-立领	白+黑-L	件	53	2 944.68
分仓 2 店	110001	女衬衫-雪纺花边领	S	件	60	1 641
分仓 2 店	110002	女衬衫-雪纺花边领	M	件	70	1 914.50
分仓 2 店	110003	女衬衫-雪纺花边领	L	件	73	1 996.55
分仓 2 店	111001	女衬衫-拼接领	S	件	65	1 777.75
分仓 2 店	111002	女衬衫-拼接领	M	件	55	1 504.25
分仓 2 店	111003	女衬衫-拼接领	L	件	64	1 750.40
分仓 2 店	112001	女衬衫-OL 翻领	S	件	56	1 531.60
分仓 2 店	112002	女衬衫-OL 翻领	M	件	77	2 105.95
分仓 2 店	112003	女衬衫-OL 翻领	L	件	78	2 133.30
合计					2 279	83 957.35

第四部分

经济业务原始单据及操作指南

一、2018年12月经济业务

2018 年 12 月经济业务如表 4-1 所示。

表 4-1   2018 年 12 月经济业务   金额单位：元

业务日期	凭证号	凭证总金额	业务说明	附件明细		操作指导
				票据	金额	
2018-12-01	记-0001	65 952.33	普通采购/浙江琪琪服装厂	增值税专用发票 3241304#	65 952.33	采购管理
				采购发票清单		
				采购入库单 818121001#		
2018-12-01	记-0002	6 000.00	拨付门店备用金-2 个门店	备用金拨付单	6 000.00	总账业务
2018-12-01	记-0003	11 615.00	零售结算	销售单	11 615.00	零售管理
2018-12-01	记-0004	28.00	支付市内交通费	交通费报销单	28.00	总账业务
2018-12-02	记-0005	9 650.00	零售结算	销售单	9 650.00	零售管理
2018-12-02	记-0006	1 580.00	采购胶带及打包带一批	增值税专用发票 6206204#	1 580.00	总账业务
2018-12-02	记-0007	1 000.00	报销差旅费	差旅费报销单	1 000.00	总账业务
2018-12-03	记-0008	19 995.00	现金存入银行	华夏-现金缴款单	19 995.00	总账业务
2018-12-03	记-0009	11 130.00	零售结算	销货单	11 130.00	零售管理
2018-12-03	记-0010	92 504.65	普通采购/深圳美姿服装有限公司	增值税专用发票 4367339#	92 504.65	采购管理
				采购发票清单		
				采购入库单 818121002#		

续表

业务日期	凭证号	凭证总金额	业务说明	附件明细		操作指导
				票据	金额	
2018-12-03	记-0011	21 000.00	支付12月份租金	增值税专用发票1608662#、1820453#、1604821#	21 000.00	总账业务
				华夏-付款单-天恒瑞海物业有限公司		
2018-12-03	记-0012	2 226.50	支付水电费及物业费	增值税专用发票1301820#、1301821#、1301822#、1201045#、1201046#、1201047#、1604093#、1608658#、1820462#	2 226.50	总账业务
				华夏-付款单-北平水业集团有限责任公司		
				华夏-付款单-国家电网北平供电总公司		
				华夏-付款单-天恒瑞海物业有限公司		
				华夏-付款单-北平盛园物业有限公司		
				华夏-付款单-北平万科物业有限公司		
2018-12-03	记-0013	28 800.00	收到北平运恒货款	华夏-收款单-北平运恒电子有限公司	28 800.00	往来现金
2018-12-04	记-0014	380.00	现金存入银行	华夏-现金缴款单	380.00	总账业务
2018-12-04	记-0015	41 960.00	普通销售/上海华奇外贸有限公司	增值税专用发票1039018#	41 960.00	销售管理
				销售发票清单		
				销售单818125001-1/818125001-3		
2018-12-04	记-0016	8 265.00	零售结算	销售单	8 265.00	零售管理
2018-12-04	记-0017	1 698.00	支付运费	华夏-付款单-德邦物流有限公司	1 698.00	总账业务
				增值税专用发票00524251#		
2018-12-05	记-0018	3 045.00	现金存入银行	华夏-现金缴款单	3 045.00	总账业务
2018-12-05	记-0019	8 785.00	零售结算	销售单	8 785.00	零售管理
2018-12-05	记-0020	1 185.00	购买办公用品	增值税专用发票6620126#	1 185.00	总账业务
2018-12-05	记-0021	1 500.00	借支差旅费	借款单-孙国平	1 500.00	总账业务
2018-12-05	记-0022	28 799.55	普通采购/广东天语服饰有限公司	增值税专用发票2152118#	28 799.55	采购管理
				采购发票清单		
				采购入库单818121003#		
2018-12-05	记-0023	43 156.00	支付浙江琪琪货款	华夏-付款单-浙江琪琪服装厂	43 156.00	往来现金
2018-12-05	记-0024	10.50	支付手续费	华夏-交易回单	10.50	总账业务
2018-12-06	记-0025	3 115.00	现金存入银行	华夏-现金缴款单	3 115.00	总账业务
2018-12-06	记-0026	9 895.00	零售结算	销售单	9 895.00	零售管理
2018-12-06	记-0027	800.00	支付电话费	增值税专用发票1140785#	800.00	总账业务

业务日期	凭证号	凭证总金额	业务说明	附件明细		操作指导
				票据	金额	
2018-12-06	记-0028	35 190.00	收到深圳华威货款	华夏-收款单-深圳华威科技有限公司	35 190.00	往来现金
2018-12-07	记-0029	7 230.00	现金存入银行	华夏-现金缴款单	7 230.00	总账业务
2018-12-07	记-0030	9 665.00	零售结算	销售单	9 665.00	零售管理
2018-12-07	记-0031	4 900.00	处理固定资产-复印机（1000）	固定资产清理报废单	4 900.00	资产管理
2018-12-07	记-0032	1 000.00	清理固定资产收入	北平华问服装收据 001821#	1 000.00	总账业务
2018-12-07	记-0033	60.00	处置固定资产费用	费用报销单-孙红	60.00	总账业务
2018-12-07	记-0034	2 941.51	结转处置固定资产净损失		2 941.51	总账业务
2018-12-07	记-0035	60 794.00	支付深圳美姿货款	华夏-付款单-深圳美姿服装有限公司	60 794.00	往来现金
2018-12-07	记-0036	10.50	支付手续费	华夏-交易回单	10.50	总账业务
2018-12-07	记-0037	60 560.00	收到上海云飞货款	华夏-收款单-上海云飞贸易有限公司	60 560.00	往来现金
2018-12-08	记-0038	8 795.00	零售结算	零售结算单	8 795.00	零售管理
2018-12-08	记-0039	1 655.00	支付招待费	增值税普通发票 1460226#	1 655.00	总账业务
2018-12-08	记-0040	1 000.00	支付员工培训费	增值税专用发票 4201864#	1 000.00	总账业务
2018-12-09	记-0041	8 510.00	零售结算	销售单	8 510.00	零售管理
2018-12-09	记-0042	2 000.00	支付车辆加油费（加油卡）	增值税专用发票	2 000.00	总账业务
2018-12-10	记-0043	51 300.00	普通收款-广州创鑫服装有限公司	华夏-收款单	51 300.00	往来现金
2018-12-10	记-0044	7 575.00	现金存入银行	华夏-现金单	7 575.00	总账业务
20118-12-10	记-0045	24 140.00	普通销售/上海云飞贸易有限公司	销售清单 1 张 增值税专用发票 1039019# 销售单 3 张	24 140.00	销售管理
2018-12-10	记-0046	11 270.00	零售结算	销售单	11 270.00	零售管理
2018-12-10	记-0047	59 950.23	普通采购/浙江琪琪服装厂	增值税专用发票 3241322# 采购发票清单 采购入库单 818121004#	59 950.23	采购管理
2018-12-10	记-0048	1 260.00	支付运费-上海云飞贸易有限公司	华夏-付款单	1 260.00	总账业务
2018-12-11	记-0049	2 060.00	现金存入银行	华夏-现金单	2 060.00	总账业务
2018-12-11	记-0050	11 335.00	零售结算	销售单	11 335.00	零售管理
2018-12-11	记-0051	38 100.00	收到上海华奇货款	华夏-收款单-上海华奇贸易有限公司	38 100.00	往来现金
2018-12-11	记-0052	32 600.00	收到广州昌达货款	华夏-收款单-广州昌达花纸有限公司	32 600.00	往来现金
2018-12-12	记-0053	2 870.00	现金存入银行	华夏-现金缴款单	2 870.00	总账业务
2018-12-12	记-0054	11 265.00	零售结算	销售单	11 265.00	零售管理
20118-12-12	记-0055	1 630.00	报销差旅费	差旅费报销单-孙国平	1 630.00	总账业务
2018-12-12	记-0056	2 000.00	支付车辆保养费	增值税普通发票 4196786#	2 000.00	总账业务

续表

业务日期	凭证号	凭证总金额	业务说明	附件明细		操作指导
				票据	金额	
2018-12-13	记-0057	5 800.00	现金存入银行	华夏-现金缴款单	5 800.00	总账业务
2018-12-13	记-0058	10 175.00	零售结算	销售单	10 175.00	零售管理
2018-12-11	记-0051	38 100.00	收到上海华奇货款	华夏-收款单-上海华奇贸易有限公司	38 100.00	往来现金
2018-12-13	记-0059	48 753.90	普通采购/深圳美姿服装有限公司	增值税专用 4367368# 销货单 销货清单	48 753.90	采购管理
2018-12-13	记-0060	28 799.55	普通采购/广东天语服饰有限公司	增值税专用发票 2152137# 销货单 销货清单	28 799.55	采购管理
2018-12-14	记-0061	4 675.00	现金存入银行	华夏-现金单	4 675.00	总账业务
2018-12-14	记-0062	31 360.00	普通销售/广州创鑫服装有限公司	销售清单 1 张 增值税专用发票 1302218# 销售单 3 张	31 360.00	销售管理
2018-12-14	记-0063	9 985.00	零售结算	销售单	9 985.00	零售管理
2018-12-14	记-0064	1 320.00	支付运费-广州创鑫服装有限公司	华夏-付款单	1 320.00	总账业务
2018-12-14	记-0065	70 257.45	支付 11 月份工资	华夏银行转账支票存根	70 257.45	总账业务
2018-12-14	记-0066	22 206.60	支付养老、医疗、失业保险	同城特约委托收款	22 206.60	总账业务
2018-12-14	记-0067	911.04	支付工伤、生育保险	同城特约委托收款	911.04	总账业务
2018-12-14	记-0068	6 760.00	支付住房公积金	同城特约委托收款	6 760.00	总账业务
2018-12-14	记-0069	5 720.00	报销员工 11 月份餐费	华夏-付款单 增值税专用发票 费用报销单	5 720.00	总账业务
2018-12-14	记-0070	5 720.00	计提福利费		5 720.00	总账业务
2018-12-14	记-0071	9 264.96	缴纳增值税	国税电子缴税凭证 12868864#	9 264.96	总账业务
2018-12-14	记-0072	1 477.62	缴纳营业税金及附加	地税电子缴税凭证 02682666#	1 477.62	总账业务
2018-12-15	记-0073	9 375.00	零售结算	销售单	9 375.00	零售管理
2018-12-16	记-0074	8 845.00	零售结算	销售单	8 845.00	零售管理
2018-12-16	记-0075	40.00	支付汽车修理费	费用报销单-现金付讫	40.00	总账业务
2018-12-17	记-0076	5 650.00	现金存入银行	华夏-现金缴款单	5 650.00	总账业务
2018-12-17	记-0077	9 585.00	零售结算	销售单	9 585.00	零售管理
2018-12-17	记-0078	55 800.00	普通收款-江西莎莎服饰有限公司	华夏-收款单-江西莎莎服饰有限公司	55 800.00	往来现金
2018-12-17	记-0079	8 000.00	支付灯箱广告费	增值税普通发票 1025635# 华夏-付款单-博艺文化有限公司	8 000.00	总账业务
2018-12-18	记-0080	1 790.00	现金存入银行	华夏-现金缴款单	1 790.00	总账业务
2018-12-18	记-0081	8 315.00	零售结算	销售单	8 315.00	零售管理

业务日期	凭证号	凭证总金额	业务说明	附件明细		操作指导
				票据	金额	
2018-12-19	记-0082	1 915.00	现金存入银行	华夏-现金缴款单	1 915.00	总账业务
2018-12-19	记-0083	30 680.00	普通销售/江西莎莎服饰有限公司	增值税专用发票 1039021#	30 680.00	销售管理
				销售发货清单		
				销售单 818125004-1/818125004-3		
2018-12-19	记-0084	8 895.00	零售结算	销售单	8 895.00	零售管理
2018-12-19	记-0085	1 293.00	支付运费	增值税专用发票 00524297#	1 293.00	总账业务
				华夏-付款单-德邦物流有限公司		
2018-12-19	记-0086	42 400.00	收到浙江美琳货款	华夏-收款单-浙江美琳服装有限公司	42 400.00	往来现金
2018-12-20	记-0087	3 755.00	现金存入银行	华夏-现金缴款单	3 755.00	总账业务
2018-12-20	记-0088	9 685.00	零售结算	销售单	9 685.00	零售管理
2018-12-20	记-0089	48 361.00	支付广东天语货款	华夏-付款单-广东天语服装有限公司	48 361.00	往来现金
2018-12-20	记-0090	10.50	支付手续费	华夏-收费回单	10.50	总账业务
2018-12-21	记-0091	2 085.00	现金存入银行	华夏-现金缴款单	2 085.00	总账业务
2018-12-21	记-0092	9 050.00	零售结算	销售单	9 050.00	零售管理
2018-12-22	记-0093	8 735.00	零售结算	销售单	8 735.00	零售管理
2018-12-23	记-0094	19 820.00	普通销售/浙江美琳服装有限公司	增值税专用发票 1039022#	19 820.00	销售管理
				销售发票清单		
				销售单 818125005-1/818125005-3		
2018-12-23	记-0095	7 670.00	零售结算	销售单	7 670.00	零售管理
2018-12-24	记-0096	2 176.00	支付运费	增值税专用发票 00524312#	2 176.00	总账业务
				华夏-付款单-德邦物流有限公司		
2018-12-24	记-0097	4 995.00	现金存入银行	华夏-现金缴款单	4 995.00	总账业务
2018-12-24	记-0098	9 825.00	零售结算	销售单	9 825.00	零售管理
2018-12-25	记-0099	8 690.00	零售结算	销售单	8 690.00	零售管理
2018-12-26	记-0100	15.00	普通销售/零售客户(网店)	销售单 IO-2018-12-00-0001	15.00	销售管理
2018-12-26	记-0101	9 555.00	零售结算	销售单	9 555.00	零售管理
2018-12-26	记-0102	5.00	支付快递费	快递单	5.00	总账业务
2018-12-27	记-0103	10 190.00	零售结算	销售单	10 190.00	零售管理
2018-12-27	记-0104	2 085.00	现金存入银行	华夏-现金缴款单	2 085.00	总账业务
2018-12-28	记-0105	20 975.00	普通销售/浙江美琳服装有限公司、零售客户(网店)	增值税专用发票 1039023#	20 975.00	销售管理
				销售发票清单		
				销售单 818125006-1/818125006-3 、 IO-2018-12-00-0002		
2018-12-28	记-0106	8 860.00	零售结算	销售单	8 860.00	零售管理

续表

业务日期	凭证号	凭证总金额	业务说明	附件明细		操作指导
				票据	金额	
2018-12-28	记-0107	3 110.00	现金存入银行	华夏-现金缴款单	3 110.00	总账业务
2018-12-28	记-0108	5.00	支付快递费	快递单	5.00	总账业务
2018-12-29	记-0109	15.00	普通销售/零售客户（网店）	销售单 IO-2018-12-00-0003	15.00	销售管理
2018-12-29	记-0110	8 565.00	零售结算	销售单	8 565.00	零售管理
2018-12-29	记-0111	5.00	支付快递费	快递单	5.00	总账业务
2018-12-30	记-0112	8 485.00	零售结算	销售单	8 485.00	零售管理
2018-12-31	记-0113	9 790.00	零售结算	销售单	9 790.00	零售管理
2018-12-31	记-0114	5 005.00	现金存入银行	华夏-现金单	5 005.00	总账业务
2018-12-31	记-0115	458.13	利息收入	华夏银行-利息单	458.13	总账业务
2018-12-31	记-0116	83 930.00	计提12月份工资	2018年12月工资汇总表	83 930.00	总账业务
2018-12-31	记-0117	10 037.96	代扣社保及个税	附件见记0116#	10 037.96	总账业务
2018-12-31	记-0118	11 388.00	计提养老保险	2018年12月社会保险及住房公积金计算汇总表	11 388.00	总账业务
2018-12-31	记-0119	3 416.40	计提医疗保险	附件见记0118#	3 416.40	总账业务
2018-12-31	记-0120	1 138.80	计提失业保险	附件见记0118#	1 138.80	总账业务
2018-12-31	记-0121	911.04	计提工伤、生育保险	附件见记0118#	911.04	总账业务
2018-12-31	记-0122	3 380.00	计提住房公积金	附件见记0118#	3 380.00	总账业务
2018-12-31	记-0123	3 927.99	计提折旧/摊销	自制-固定资产折旧表	3 927.99	资产管理
2018-12-31	记-0124	15898.12	转出未交增值税	—	15898.12	总账业务
2018-12-31	记-0125	1907.77	计提营业税金及附加	—	1907.77	总账业务
2018-12-31	记-0126	2 165.60	POS机手续费	华夏-交易回单	2 165.60	总账业务
2018-12-31	记-0127	86 576.45	结转分销、网店已售产品成本	库存商品收发存月报表	86 576.45	总账业务
2018-12-31	记-0128	121 216.98	结转零售已售产品成本	库存商品收发存月报表	121 216.98	总账业务
2018-12-31	记-0129	-2 312.09	结转退货成本	—	-2 312.09	总账业务
2018-12-31	记-0130	396 086.98	结转期间损益	—	396 086.98	总账业务
2018-12-31	记-0131	373 035.53	结转期间损益	—	373 035.53	总账业务
2018-12-31	记-0132	5 762.86	计提企业所得税	—	5 762.86	总账业务
2018-12-31	记-0133	5 762.86	结转期间损益	—	5 762.86	总账业务
2018-12-31	记-0134	386 085.43	结转本年利润	—	386 085.43	总账业务
2018-12-31	记-0135	56 862.81	提取盈余公积金	—	56 862.81	总账业务
2018-12-31	记-0136	56 862.81	结转未分配利润	—	56 862.81	总账业务

二、2018年12月期末余额表

2018年12月期末余额如表4-2所示。

表 4-2 2018 年 12 月期末余额表

科目编码	科目名称	方向	期末余额（元）	科目编码	科目名称	方向	期末余额（元）
1001	库存现金	借	4 172.00	22110304	工伤保险	贷	455.52
1002	银行存款	借	1 250 731.31	22110305	生育保险	贷	455.52
100201	华夏银行南京路分理处	借	1 250 731.31	221104	住房公积金	贷	3 380.00
1122	应收账款	借	168 920.00	2221	应交税费	贷	31 441.57
1221	其他应收款	借	6 000.00	222101	应交增值税	借	
122101	应收个人	借	6 000.00	22210101	进项税额	借	473 697.44
1405	库存商品	借	301 773.52	22210103	销项税额	贷	498 860.52
140501	劳保工作服	借	116 247.67	22210104	转出未交增值税	借	25 163.08
140502	户外运动衫	借	5 822.55	222102	未交增值税	贷	15 898.12
140503	文化衫	借	4 052.70	222103	应缴城市维护建设税	贷	1 112.87
140504	加厚军大衣	借	7 938.00	222104	教育附加	贷	476.94
140505	西服男套装	借	48 290.55	222105	地方教育附加	贷	317.96
140506	西服女套装	借	80 284.20	222106	应交个人所得税	贷	394.56
140507	女衬衫	借	39 137.85	222107	应交企业所得税	贷	13 241.12
1601	固定资产	借	156 200.00	2241	其他应付款	贷	9 643.40
160103	运输设备	借	49 000.00	224101	应付代扣个人三险一金	贷	9 643.40
160104	电子设备	借	107 200.00	22410101	个人应交养老保险	贷	4 555.20
1602	累计折旧	贷	41 025.48	22410102	个人应交医疗保险	贷	1 138.80
160203	运输设备	贷	10 667.69	22410103	个人应交失业保险	贷	569.40
160204	电子设备	贷	30 357.79	22410104	个人应交住房公积金	贷	3 380.00
2202	应付账款	贷	324 760.21	4001	实收资本	贷	1 000 000.00
2211	应付职工薪酬	贷	94 840.74	400101	华问集团有限公司	贷	1 000 000.00
221101	工资奖金	贷	74 606.50	4101	盈余公积	贷	56 862.81
221103	社会保险费	贷	16 854.24	410101	法定盈余公积	贷	38 608.54
22110301	基本养老保险	贷	11 388.00	410102	任意盈余公积	贷	18 254.27
22110302	基本医疗保险	贷	3 416.40	4104	利润分配	贷	329 222.62

三、2019 年 1 月经济业务

2019 年 1 月经济业务如表 4-3 示。

表 4-3 2019 年 1 月经济业务   金额单位：元

业务日期	凭证号	凭证总金额	业务说明	附件明细	金额	操作指导
				票据		
2019-01-01	记-0001	72 362.18	普通采购/浙江琪琪服装厂	增值税专用发票 3163572# 采购发票清单 采购入库单 819011001#	72 362.18	采购管理

续表

业务日期	凭证号	凭证总金额	业务说明	附件明细 票据	金额	操作指导
2019-01-01	记-0002	9 250.00	零售结算	销售单	9 250.00	零售管理
2019-01-01	记-0003	43 199.37	普通采购/广东天语服饰有限公司	增值税专用发票 2513679# 采购发票清单 采购入库单 819011002#	43 199.37	采购管理
2019-01-01	记-0004	1 420.00	现金存入银行	华夏-现金缴款单	1 420.00	总账业务
2019-01-02	记-0005	108 504.63	普通采购/深圳美姿服装有限公司	增值税专用发票 2158496# 采购发票清单 采购入库单 819011003#	108 504.63 108 504.63 92 739.00	采购管理
2019-01-02	记-0006	141 258.55	支付深圳美姿货款	华夏-付款单-深圳美姿服装有限公司	141 258.55	往来现金
2019-01-02	记-0007	10.50	支付手续费	华夏-交易回单	10.50	总账业务
2019-01-02	记-0008	9 060.00	零售结算	销售单	9 060.00	零售管理
2019-01-03	记-0009	46 100.00	普通销售/上海华奇外贸有限公司	增值税专用发票 1039024# 销售发票清单 销售单 819015001-1/819015001-3	46 100.00	销售管理
2019-01-03	记-0010	8 670.00	零售结算	销售单	8 670.00	零售管理
2019-01-03	记-0011	1 638.00	支付运费	华夏-付款单-德邦物流有限公司 增值税专用发票#00525321	1 638.00	总账业务
2019-01-04	记-0012	2 249.50	支付水电费及物业费	增值税专用发票 1301880#、1301916#、1301940#、1201056#、1201057#、1201080#、1604102#、1608670#、1820484# 华夏-付款单-北平水业集团有限责任公司 华夏-付款单-国家电网北平供电总公司 华夏-付款单-天恒瑞海物业有限公司 华夏-付款单-北平盛园物业有限公司 华夏-付款单-北平万科物业有限公司	2 249.50	总账业务
2019-01-04	记-0013	41 960.00	收到上海华奇货款	华夏-收款单-上海华奇外贸有限公司	41 960.00	往来现金
2019-01-04	记-0014	8 925.00	零售结算	销售单	8 925.00	零售管理
2019-01-04	记-0015	840.00	现金存入银行	华夏-现金缴款单	840.00	总账业务
2019-01-05	记-0016	21 000.00	支付1月份租金	增值税专用发票 1698741#、1820586#、1609726# 华夏-付款单-天恒瑞海物业有限公司 华夏-付款单-北平盛园物业有限公司 华夏-付款单-北平万科物业有限公司	21 000.00	总账业务

业务日期	凭证号	凭证总金额	业务说明	附件明细 票据	金额	操作指导
2019-01-05	记-0017	9 520.00	零售结算	销售单	9 520.00	零售管理
2019-01-06	记-0018	8 900.00	零售结算	销售单	8 900.00	零售管理
2019-01-07	记-0019	8 345.00	零售结算	销售单	8 345.00	零售管理
2019-01-07	记-0020	4 075.00	现金存入银行	华夏-现金缴款单	4 075.00	总账业务
2019-01-08	记-0021	52 198.39	普通采购/浙江琪琪服装厂	增值税专用发票 3513264# 采购发票清单 采购入库单 819011004#	52 198.39	采购管理
2019-01-08	记-0022	125 902.56	支付浙江琪琪货款	华夏-付款单-浙江琪琪服装厂	125 902.56	往来现金
2019-01-08	记-0023	10.50	支付手续费	华夏-交易回单	10.50	总账业务
2019-01-08	记-0024	9 715.00	零售结算	销售单	9 715.00	零售管理
2019-01-08	记-0025	6 345.00	现金存入银行	华夏-现金缴款单	6 345.00	总账业务
2019-01-09	记-0026	61 353.06	普通采购/深圳美姿服装有限公司	增值税专用发票 2015349# 采购发票清单 采购入库单 819011005#	61 353.06	采购管理
2019-01-09	记-0027	9 375.00	零售结算	销售单	9 375.00	零售管理
2019-01-09	记-0028	1 570.00	现金存入银行	华夏-现金缴款单	1 570.00	总账业务
2019-01-10	记-0029	9 095.00	零售结算	销售单	9 095.00	零售管理
2019-01-11	记-0030	24 140.00	收到上海云飞货款	华夏-收款单-上海云飞贸易有限公司	24 140.00	往来现金
2019-01-11	记-0031	4 150.00	现金存入银行	华夏-现金缴款单	4 150.00	总账业务
2019-01-11	记-0032	28 700.00	普通销售/上海云飞贸易有限公司	增值税专用发票 1039025# 销售发票清单 销售单 819015002-1/819015002-3	28 700.00	销售管理
2019-01-11	记-0033	14 720.00	零售结算	销售单	14 720.00	零售管理
2019-01-11	记-0034	1 260.00	支付运费	华夏-付款单-德邦物流有限公司 增值税专用发票 00525336#	1 260.00	总账业务
2019-01-12	记-0035	13 270.00	零售结算	销售单	13 270.00	零售管理
2019-01-12	记-0036	15 898.12	缴纳增值税	国税电子缴税凭证 12869618#	15 898.12	总账业务
2019-01-12	记-0037	2 302.33	缴纳营业税金及附加	地税电子缴税凭证 02684856#	2 302.33	总账业务
2019-01-12	记-0038	13 241.12	缴纳企业所得税	国税电子完税凭证 00003412#	13 241.12	总账业务
2019-01-13	记-0039	24 959.61	普通采购/广东天语服饰有限公司	增值税专用发票 2316784# 采购发票清单 采购入库单 819011006#	24 959.61	采购管理
2019-01-13	记-0040	9 955.00	零售结算	销售单	9 955.00	零售管理
2019-01-14	记-0041	57 599.10	支付广东天语货款	华夏-付款单-广东天语服装有限公司	57 599.10	往来现金

续表

业务日期	凭证号	凭证总金额	业务说明	附件明细 票据	金额	操作指导
2019-01-13	记-0042	10.50	支付手续费	华夏-交易回单	10.50	总账业务
2019-01-14	记-0043	35 400.00	普通销售/广州创鑫服装有限公司	增值税专用发票 1039026# 销售发票清单 销售单 819015003-1/819015001-3	35 400.00	采购管理
2019-01-14	记-0044	10 480.00	零售结算	销售单	10 480.00	零售管理
2019-01-14	记-0045	3 400.00	现金存入银行	华夏-现金缴款单	3 400.00	总账业务
2019-01-14	记-0046	22 206.60	支付养老、医疗、失业保险	同城特约委托收款	22 206.60	总账业务
2019-01-14	记-0047	911.04	支付工伤、生育保险	同城特约委托收款	911.04	总账业务
2019-01-14	记-0048	6 760.00	支付住房公积金	同城特约委托收款	6 760.00	总账业务
2019-01-15	记-0049	1 320.00	支付运费	增值税专用发票 00525347# 华夏-付款单-德邦物流有限公司	1 320.00	总账业务
2019-01-15	记-0050	31 360.00	收到广州创鑫货款	华夏-收款单-广州创鑫服装有限公司	31 360.00	往来现金
2019-01-15	记-0051	73 892.04	支付12月份工资	进账单 华夏银行转账支票存根 00231456#	73 892.04	总账业务
2019-01-15	记-0052	714.46	补发11月份工资	华夏-付款单	714.46	总账业务
2019-01-15	记-0053	11 400.00	零售结算	销售单	11 400.00	零售管理
2019-01-15	记-0054	4 500.00	现金存入银行	华夏-现金缴款单	4 500.00	总账业务
2019-01-15	记-0055	32.00	支付市内交通费	交通费报销单-林立	32.00	总账业务
2019-01-16	记-0056	11 140.00	零售结算	销售单	11 140.00	零售管理
2019-01-17	记-0057	37 600.00	普通销售/江西莎莎服饰有限公司	增值税专用发票 1039027# 销售发票清单 销售单 819015004-1/819015004-3	37 600.00	销售管理
2019-01-17	记-0058	10 450.00	零售结算	销售单	10 450.00	零售管理
2019-01-18	记-0059	9 695.00	零售结算	销售单	9 695.00	零售管理
2019-01-18	记-0060	4 850.00	现金存入银行	华夏-现金缴款单	4 850.00	总账业务
2019-01-19	记-0061	9 685.00	零售结算	销售单	9 685.00	零售管理
2019-01-20	记-0062	860.00	支付电话费	增值税专用发票 1567748#	860.00	总账业务
2019-01-20	记-0063	1 293.00	支付运费	华夏-付款单-德邦物流有限公司 增值税专用发票 00525358#	1 293.00	总账业务
2019-01-20	记-0064	9 785.00	零售结算	销售单	9 785.00	零售管理
2019-01-21	记-0065	9 450.00	零售结算	销售单	9 450.00	零售管理
2019-01-21	记-0066	4 735.00	现金存入银行	华夏-现金缴款单	4 735.00	总账业务
2019-01-22	记-0067	9 105.00	零售结算	销货单	9 105.00	零售管理
2019-01-22	记-0068	4 350.00	现金存入银行	华夏-现金缴款单	4 350.00	总账业务
2019-01-23	记-0069	10 040.00	零售结算	销售单	10 040.00	零售管理

业务日期	凭证号	凭证总金额	业务说明	附件明细 票据	金额	操作指导
2019-01-23	记-0070	4 130.00	现金存入银行	华夏-现金单	4 130.00	总账业务
2019-01-24	记-0071	30 680.00	收到江西莎莎货款	华夏-收款单-江西莎莎服饰有限公司	30 680.00	往来现金
2019-01-24	记-0072	40 780.00	普通销售/浙江美琳服装有限公司	增值税专用发票 1039028# 销售发票清单 销售单 819015005-1/819015005-3	40 780.00	销售管理
2019-01-24	记-0073	9 585.00	零售结算	销售单	9 585.00	零售管理
2019-01-25	记-0074	10 470.00	零售结算	销售单	10 470.00	零售管理
2019-01-25	记-0075	9 585.00	现金存入银行	华夏-现金缴款单	9 585.00	总账业务
2019-01-26	记-0076	10 570.00	零售结算	销售单	10 570.00	零售管理
2019-01-27	记-0077	9 375.00	零售结算	销售单	9 375.00	零售管理
2019-01-28	记-0078	12 905.00	零售结算	销售单	12 905.00	零售管理
2019-01-28	记-0079	2 301.00	支付运费	华夏-付款单-德邦物流有限公司 增值税专用发票 00525388#	2 301.00	总账业务
2019-01-28	记-0080	4 605.00	现金存入银行	华夏-现金缴款单	4 605.00	总账业务
2019-01-29	记-0081	2 176.00	支付运费	华夏-付款单-德邦物流有限公司 增值税专用发票 00525369#	2 176.00	总账业务
2019-01-29	记-0082	40 780.00	收到浙江美琳货款	华夏-收款单-浙江美琳服装有限公司	40 780.00	往来现金
2019-01-29	记-0083	11 065.00	零售结算	销售单	11 065.00	零售管理
2019-01-30	记-0084	15.00	普通销售/零售客户（网店）	销售单 IO-2019-01-00-0001	15.00	销售管理
2019-01-30	记-0085	10 220.00	零售结算	销售单	10 220.00	零售管理
2019-01-30	记-0086	5.00	支付快递费	快递单	5.00	总账业务
2019-01-31	记-0087	30.00	普通销售/零售客户（网店）	销售单 IO-2019-01-00-0002	30.00	销售管理
2019-01-31	记-0088	9 915.00	零售结算	销售单	9 915.00	零售管理
2019-01-31	记-0089	8.00	支付快递费	快递单	8.00	总账业务
2019-01-31	记-0090	2 361.60	支付 POS 手续费	华夏-交易回单	2 361.60	总账业务
2019-01-31	记-0091	84 962.50	计提 1 月份工资	2019 年 1 月工资汇总表	84 962.50	总账业务
2019-01-31	记-0092	10 041.83	代扣社保及个税	附件见记 0091#	10 041.83	总账业务
2019-01-31	记-0093	11 388.00	计提养老保险	2018 年 1 月社会保险及住房公积金计算汇总表	11 388.00	总账业务
2019-01-31	记-0094	3 416.40	计提医疗保险	附件见记 0093#	3 416.40	总账业务
2019-01-31	记-0095	1 138.80	计提失业保险	附件见记 0093#	1 138.80	总账业务
2019-01-31	记-0096	911.04	计提工伤、生育保险	附件见记 0093#	911.04	总账业务
2019-01-31	记-0097	3 380.00	计提住房公积金	附件见记 0093#	3 380.00	总账业务
2019-01-31	记-0098	3 798.68	计提折旧/摊销	自制-固定资产折旧表	3 798.68	资产管理
2019-01-31	记-0099	16 946.04	转出未交增值税	—	16 946.04	总账业务

续表

业务日期	凭证号	凭证总金额	业务说明	附件明细 票据	金额	操作指导
2019-01-31	记-0100	2 033.52	计提营业税金及附加	—	2 033.52	总账业务
2019-01-31	记-0101	96 747.55	结转分销、网店已售产品成本	库存商品收发存月报表	96 747.55	总账业务
2019-01-31	记-0102	131 438.63	结转零售已售产品成本	库存商品收发存月报表	131 438.63	总账业务
2019-01-31	记-0103	429 709.56	结转期间损益	—	429 709.56	总账业务
2019-01-31	记-0104	372 328.56	结转期间损益	—	372 328.56	总账业务
2019-01-31	记-0105	14 345.25	计提1月份所得税费用	—	14 345.25	总账业务
2019-01-31	记-0106	14 345.25	结转所得税费用	—	14 345.25	总账业务

四、2019年2月经济业务

2019 年 2 月经济业务如表 4-4 所示。

表 4-4　2019 年 2 月经济业务　　　　　　金额单位：元

业务日期	凭证号	凭证总金额	业务说明	附件明细 票据	金额	操作指导
2019-02-01	记-0001	15 080.00	零售结算	销售单	15 080.00	零售管理
2019-02-01	记-0002	3 990.00	现金存入银行	华夏-现金单	3 990.00	总账业务
2019-02-01	记-0003	68 158.98	支付广东天语货款	华夏-付款单-广东天语服装有限公司	68 158.98	往来现金
2019-02-01	记-0004	10.50	支付手续费	华夏-交易回单	10.50	总账业务
2019-02-01	记-0005	1 230.00	购买办公用品	增值税专用发票 6627749# / 华夏-付款单	1 230.00	总账业务
2019-02-02	记-0006	101 254.39	普通采购/深圳美姿服装有限公司	增值税专用发票 3569013# / 采购发票清单 / 采购入库单 819021001#	101 254.39	采购管理
2019-02-02	记-0007	57 599.10	普通采购/广东天语服饰有限公司	增值税专用发票 1018019# / 采购发票清单 / 采购入库单 819021002#	57 599.10	采购管理
2019-02-02	记-0008	11 775.00	零售结算	销售单	11 775.00	零售管理
2019-02-02	记-0009	42 728.00	普通销售/上海华奇外贸有限公司	增值税专用发票 1039029# / 销售发票清单 / 销售单 819025001-1/819025001-3	42 728.00	销售管理
2019-02-03	记-0010	51 760.80	普通采购/浙江琪琪服装厂	增值税专用发票 2580118# / 采购发票清单 / 采购入库单 819021003#	51 760.80	采购管理
2019-02-03	记-0011	9 820.00	零售结算	销售单	9 820.00	零售管理
2019-02-03	记-0012	2 800.00	支付员工福利费	增值税普通发票 2150348#	2 800.00	总账业务
2019-02-04	记-0013	1 728.00	支付运费	华夏-付款单-德邦物流有限公司 / 增值税专用发票 00525436#	1 728.00	总账业务

续表

业务日期	凭证号	凭证总金额	业务说明	附件明细 票据	金额	操作指导
2019-02-04	记-0014	46 100.00	收到上海华奇货款	华夏-收款单-上海华奇外贸有限公司	46 100.00	往来现金
2019-02-04	记-0015	3 675.00	现金存入银行	华夏-现金缴款单	3 675.00	总账业务
2019-02-04	记-0016	21 000.00	支付2月份租金	增值税专用发票 1600254#、1823759#、1603688#	21 000.00	总账业务
				华夏-付款单-天恒瑞海物业有限公司		
				华夏-付款单-北平盛园物业有限公司		
				华夏-付款单-北平万科物业有限公司		
2019-02-04	记-0017	1 774.20	支付水电费及物业费	增值税专用发票 1302108#、1301892#、1302092#、1201077#、1201069#、1201121#、1604152#、1608681#、1820490#	1 774.20	总账业务
				华夏-付款单-北平水业集团有限责任公司		
				华夏-付款单-国家电网北平供电总公司		
				华夏-付款单-天恒瑞海物业有限公司		
				华夏-付款单-北平盛园物业有限公司		
				华夏-付款单-北平万科物业有限公司		
2019-02-11	记-0018	124 560.57	支付浙江琪琪货款	华夏-付款单-浙江琪琪服装厂	124 560.57	往来现金
2019-02-11	记-0019	10.50	支付手续费	华夏-交易回单	10.50	总账业务
2019-02-11	记-0020	8 125.00	零售结算	销售单	8 125.00	零售管理
2019-02-12	记-0021	35 400.00	收到广州创鑫货款	华夏-收款单-广州创鑫货款	35 400.00	往来现金
2019-02-12	记-0022	5 950.00	零售结算	销售单	5 950.00	零售管理
2019-02-13	记-0023	9 550.00	零售结算	销售单	9 550.00	零售管理
2019-02-13	记-0024	29 772.00	普通销售/广州创鑫服装有限公司	增值税专用发票 1039030#	29 772.00	销售管理
				销售发票清单		
				销售单 819025002-1/81925002-3		
2019-02-13	记-0025	1 253.00	支付运费	华夏-付款单-德邦物流有限公司	1 253.00	总账业务
				增值税专用发票 00525441#		
2019-02-13	记-0026	5 950.00	现金存入银行	华夏-现金缴款单	5 950.00	总账业务
2019-02-13	记-0027	16 946.04	缴纳增值税	国税电子缴税凭证 12815683#	16 946.04	总账业务
2019-02-13	记-0028	2 431.95	缴纳营业税金及附加	地税电子缴税凭证 02687698#	2 431.95	总账业务

业务日期	凭证号	凭证总金额	业务说明	附件明细 票据	金额	操作指导
2019-02-13	记-0029	169 857.69	支付深圳美姿货款	华夏-付款单-深圳美姿服装有限公司	169 857.69	往来现金
2019-02-13	记-0030	10.50	支付手续费	华夏-交易回单	10.50	总账业务
2019-02-14	记-0031	9 000.00	零售结算	销售单	9 000.00	零售管理
2019-02-14	记-0032	2 900.00	现金存入银行	华夏-现金缴款单	2 900.00	总账业务
2019-02-14	记-0033	22 206.60	支付养老、医疗、失业保险	同城特约委托收款	22 206.60	总账业务
2019-02-14	记-0034	911.04	支付工伤、生育保险	同城特约委托收款	911.04	总账业务
2019-02-14	记-0035	6 760.00	支付住房公积金	同城特约委托收款	6 760.00	总账业务
2019-02-15	记-0036	7 975.00	零售结算	销售单	7 975.00	零售管理
2019-02-15	记-0037	74 920.67	支付 1 月份工资	进账单 华夏银行转账支票存根	74 920.67	总账业务
2019-02-15	记-0038	33.00	支付市内交通费	交通费报销单-李丽	33.00	总账业务
2019-02-15	记-0039	28 700.00	收到上海云飞货款	华夏-收款单-上海云飞贸易有限公司	28 700.00	往来现金
2019-02-16	记-0040	620.00	支付电话费	增值税专用发票 1567691#	620.00	总账业务
2019-02-16	记-0041	8 275.00	零售结算	销售单	8 275.00	零售管理
2019-02-17	记-0042	7 165.00	零售结算	销售单	7 165.00	零售管理
2019-02-17	记-0043	24 140.00	普通销售/-上海云飞贸易有限公司	增值税专用发票 1039031# 销售发票清单 销售单 819025003-1/819025003-3	24 140.00	销售管理
2019-02-18	记-0044	1 260.00	支付运费	华夏-付款单-德邦物流有限公司 增值税专用发票 00525454#	1 260.00	总账业务
2019-02-18	记-0045	7 225.00	零售结算	销售单	7 225.00	零售管理
2019-02-18	记-0046	4 550.00	现金存入银行	华夏-现金缴款单	4 550.00	总账业务
2019-02-19	记-0047	8 350.00	零售结算	销售单	8 350.00	零售管理
2019-02-19	记-0048	3 025.00	现金存入银行	华夏-现金缴款单	3 025.00	总账业务
2019-02-19	记-0049	37 600.00	收到江西莎莎货款	华夏-收款单-江西莎莎服饰有限公司	37 600.00	往来现金
2019-02-20	记-0050	6 140.00	零售结算	销售单	6 140.00	零售管理
2019-02-20	记-0051	31 900.00	普通销售/江西莎莎服饰有限公司	增值税专用发票 1039032# 销售发票清单 销售单 819025004-1/819025004-3	31 900.00	销售管理
2019-02-20	记-0052	1 344.00	支付运费	华夏-付款单-德邦物流有限公司 增值税专用发票 00525463#	1 344.00	总账业务
2019-02-21	记-0053	7 415.00	零售结算	销售单	7 415.00	零售管理
2019-02-21	记-0054	2 150.00	现金存入银行	华夏-现金单	2 150.00	总账业务
2019-02-22	记-0055	8 350.00	零售结算	销售单	8 350.00	零售管理

业务日期	凭证号	凭证总金额	业务说明	附件明细	金额	操作指导
				票据		
2019-02-22	记-0056	2 115.00	现金存入银行	华夏-现金单	2 115.00	总账业务
2019-02-22	记-0057	40 780.00	收到浙江美琳货款	华夏-收款单-浙江美琳服装有限公司	40 780.00	往来现金
2019-02-23	记-0058	8 280.00	零售结算	销售单	8 280.00	零售管理
2019-02-24	记-0059	9 700.00	零售结算	销售单	9 700.00	零售管理
2019-02-25	记-0060	8 345.00	零售结算	销售单	8 345.00	零售管理
2019-02-25	记-0061	21 380.00	普通销售/浙江美琳服装有限公司	增值税专用发票 1039033# 销售发票清单 销售单 819025005-1/819025005-3	21 380.00	销售管理
2019-02-25	记-0062	2 347.00	支付运费	华夏-付款单-德邦物流有限公司 增值税专用发票 00525496#	2 347.00	总账业务
2019-02-26	记-0063	10 600.00	零售结算	销售单	10 600.00	零售管理
2019-02-26	记-0064	4 200.00	现金存入银行	华夏-现金缴款单	4 200.00	总账业务
2019-02-27	记-0065	11 030.00	零售结算	销售单	11 030.00	零售管理
2019-02-28	记-0066	7 600.00	零售结算	销售单	7 600.00	零售管理
2019-02-28	记-0067	30.00	普通销售/零售客户（网店）	销售单 IO-2019-02-00-0001	30.00	销售管理
2019-02-28	记-0068	8.00	支付快递费	销售单	8.00	总账业务
2019-02-28	记-0069	3 250.00	现金存入银行	华夏-现金缴款单	3 250.00	总账业务
2019-02-28	记-0070	1 539.35	支付 POS 手续费	华夏-交易回单	1 539.35	总账业务
2019-02-28	记-0071	87 853.33	计提 2 月份工资	2019 年 2 月工资汇总表	87 853.33	总账业务
2019-02-28	记-0072	10 054.70	代扣社保及个税	附件见记 0071#	10 054.70	总账业务
2019-02-28	记-0073	11 388.00	计提养老保险	2018 年 2 月社会保险及住房公积金计算汇总表	11 388.00	总账业务
2019-02-28	记-0074	3 416.40	计提医疗保险	附件见记 0073#	3 416.40	总账业务
2019-02-28	记-0075	1 138.80	计提失业保险	附件见记 0073#	1 138.80	总账业务
2019-02-28	记-0076	911.04	计提工伤、生育保险	附件见记 0073#	911.04	总账业务
2019-02-28	记-0077	3 380.00	计提住房公积金	附件见记 0073#	3 380.00	总账业务
2019-02-28	记-0078	3 798.68	计提折旧/摊销	自制-固定资产折旧表	3 798.68	资产管理
2019-02-28	记-0079	14 869.45	转出未交增值税		14 869.45	总账业务
2019-02-28	记-0080	1 784.33	计提营业税金及附加		1 784.33	总账业务
2019-02-28	记-0081	74 719.88	结转分销、网店已售产品成本	库存商品收发存月报表	74 719.88	总账业务
2019-02-28	记-0082	78 950.94	结转零售已售产品成本	库存商品收发存月报表	78 950.94	总账业务
2019-02-28	记-0083	286 923.38	结转期间损益	—	286 923.38	总账业务
2019-02-28	记-0084	301 004.37	结转期间损益	—	301 004.37	总账业务

第五部分

实训任务导航

用友畅捷通 T+电算化实训任务导航			
课程名称	二维码	课程名称	二维码
实训一　系统档案设置　课时：2			
任务 1　新增用户并设置用户权限		任务 2　新增往来单位	
任务 3　新增营销机构		任务 4　新增科目	
任务 5　新增门店		任务 6　会员管理设置	
任务 7　促销管理设置		任务 8　录入期初数据	

续表

用友畅捷通 T+电算化实训任务导航			
课程名称	二维码	课程名称	二维码
任务9 录入期初数据		任务10 录入期初数据	
任务11 录入期初数据		任务12 录入期初数据	
任务13 录入期初数据			
实训二 日常采购业务 课时：1			
任务1 录入采购入库单，单号 818121001～818121006		任务2 生成进货单，单号 818121001～818121006	
任务3 根据进货单生成采购发票			
实训三 库存管理业务 课时：1			
任务1 录入调拨单，单号 AL-2018-12-00-0001～AL-2018-12-00-0004			
实训四 电商、零售、分销业务处理 课时：2			
任务1 新建账套		任务2 电商开店	
任务3 网店管理系统系统设置		任务4 电商订单业务处理	

续表

用友畅捷通 T+电算化实训任务导航			
课程名称	二维码	课程名称	二维码
任务 5 零售业务处理		任务 6 分销业务处理	
任务 7 根据销货单，运用防伪税控系统开具增值税发票			
实训五 往来业务处理 课时：1			
任务 1 在往来现金模块中录入收款单		任务 2 在往来现金模块中录入付款单	
实训六 会计账务处理 课时：2			
任务 1 商品重新计价		任务 2 固定资产处置、折旧业务处理	
任务 3 应付账款账务处理		任务 4 应收账款账务处理	
任务 5 收款单账务处理		任务 6 付款单账务处理	
任务 7 工资及其他业务账务处理			
实训七 成本核算 课时：1			
任务 1 根据销售出库单生成相应的记账凭证		任务 2 根据零售出库单生成相应的记账凭证	

用友畅捷通 T+电算化实训任务导航			
课程名称	二维码	课程名称	二维码
实训八　财务期末业务的处理　课时：1			
任务 1　凭证审核		任务 2　出纳签字	
任务 3　记账		任务 4　结转业务处理	
任务 5　对账、结账		任务 6　出具财务报表	
实训九　网上纳税申报　课时：1			
任务 1　完成 12 月份网上纳税申报		任务 2　整理与装订凭证、报表及各项会计资料	

本书可供学习者进行企业入职前的上岗学习，能帮助学习者尽快了解企业财务工作流程，掌握企业相关会计政策及财务相关文件。

<u>在线视频使用方法</u>

1. 扫描二维码，安装"随堂"APP 应用。

2. 普通用户注册登录"随堂"APP 后，在"我的"栏目里选择"我的支付"，填写随书配送刮刮卡的激活码（见本书封底，也可以凭刮刮卡号和密码直接登录），充值后可免费观看视频指导一个月（购买了会计实训数据资源包的用户可以登录后台 http://learn. huawn.com/teacher/，批量导入学生信息，即可开通"随堂"微课）。

"随堂"APP

3. 用"随堂"APP 扫描本书第五部分实训任务导航中各任务对应的二维码，即可对照视频内容进行相关业务操作。

<u>增值服务获取方式</u>

1. 模拟防伪税控开票系统、网上报税系统：登录 http://learn.huawn.com/student/，即可浏览到相关系统获取方式。

2. 会计电算化实训评分系统：购买配套数据资源包即可支持在线实训评分，该资源包支持用友畅捷通 T+、T3、U8 等平台产品。

<u>产品服务咨询</u>

配套产品咨询：010-62390139/62390138

华问服务热线：400-8605646

畅捷通咨询热线：400-6600566

实训 QQ 交流群：195557887

网址：www.huawn.com

华问教育官方微信